Flokarta dhe Tre Arinjtë

Goldilocks and the Three Bears

retold by Kate Clynes

ill_____

Albanian translation by Viola Baynes

mantra

Flokarta po kënaqej, duke mbledhur lule për mamin.
Ajo po afrohej drejt mesit të pyllit gjithnjë e më shumë.

Ndalo Flokartë, kthehu në shtëpi,
Pylli s'është i sigurt kur vetëm je ti.

Goldilocks was having fun, collecting flowers for her mum.
She was heading deeper and deeper into the woods.

Stop Goldilocks, go back home.
Woods aren't safe when you're all alone.

Ajo pa një kasolle me një kopsht të bukur.
"Dua t'i këput ato lulet," tha Flokarta. "Të shoh se mos ka njeri brenda."

She found a cottage with a beautiful garden.
"I want to pick those flowers," said Goldilocks. "I'll see if anyone's home."

Ndalo Flokartë, trokit dhe një herë,
Ndoshta ndonjë gjë e egër është mbrapa asaj dere.

Stop Goldilocks, knock once more,
There may be something grizzly behind the door.

"Mirëdita!" thirri ajo,
"ka njeri në shtëpi?"
Por nuk erdhi asnjë
përgjigje.

"Hello!" she called,
"is anybody home?"
But there was no reply.

Mbi tavolinë ishin tre tasa. Një tas i madh, një tas i mesëm dhe një tas i vogël.
"Mmmm, tërhana," tha Flokarta. "Oh sa më ka marrë uria."

On the table were three steaming bowls. One big bowl, one medium sized bowl and one small bowl. "Mmmm, porridge," said Goldilocks, "I'm starving."

Ndalo Flokartë, mos nxito,
Punët mund të të dalin shumë keq.

Stop Goldilocks don't be hasty,
Things could turn out very nasty.

Flokarta morri një lugë tërhana nga tasi i madh.
"Au!" bërtiti ajo. Ishte shumë e nxehtë.

Goldilocks took a spoonful from the big bowl.
"Ouch!" she cried. It was far too hot.

Pastaj ajo provoi tasin e mesëm.
"Iii!" Ishte shumë e ftohtë.

Then she tried the middle bowl.
"Yuk!" It was far too cold.

Por tasi i vogël ishte tamam dhe Flokarta
e hëngri të gjithë tërhananë!

The small bowl however was just right
and Goldilocks ate the lot!

Me barkun plot, ajo hyri në dhomën tjetër.

With a nice full tummy, she wandered
into the next room.

Prit Flokartë, ti nuk mund të endesh,
Dhe në shtëpinë e tjetrit pa leje të futesh.

Hang on Goldilocks, you can't just roam,
And snoop around someone else's home.

Përpara zjarrit të ngrohtë që flakëronte
ishin tre karrige.
Një karrige e madhe, një e mesme dhe
një e vogël.

In front of the warm, glowing fire
were three chairs.
One big chair, one medium sized
chair and one small chair.

Së pari, Flokarta hipi tek karrigja e madhe, por ajo ishte shumë e fortë.

Pastaj ajo hipi tek karrigja e mesme, por ajo ishte shumë e butë.

Por karrigja e vogël ishte ashtu siç i pëlqente Flokartës.

Flokarta u mbështet, kur…

First Goldilocks climbed onto the big chair, but it was just
too hard.
Then she climbed onto the medium sized chair,
but it was just too soft.
The little chair, however, felt just right.
Goldilocks was leaning back, when...

KËRRRC! Këmbët u thyen dhe ajo ra përtokë.
"Au," thirri ajo. "Karrige e keqe!"

Oh jo, Flokartë, çfarë bëre tani?
Çohu shpejt, çohu dhe vrapo!

SNAP! The legs broke
and she fell onto the floor.
"Ouch," she cried.
"Stupid chair!"

Oh no Goldilocks, what have you done?
Get up quick, get up and run.

Flokarta ishte e lodhur,
prandaj ngjiti shkallët
dhe shkoi lart.
Në dhomën e gjumit ishin
tre krevate.
Një krevat i madh, një i mesëm
dhe një i vogël.

Goldilocks felt tired so she made her way upstairs.
In the bedroom were three beds.
One big bed, one medium sized bed and one small bed.

Ajo u shtri në krevatin e madh por ai kishte shumë xhunga. Pastaj ajo provoi krevatin e mesëm, por ai ishte shumë i lëkundshëm. Por krevati i vogël ishte ashtu siç i pëlqente Flokartës, dhe atë e zuri gjumi menjëherë.

She climbed up onto the big bed but it was too lumpy. Then she tried the medium sized bed, which was too springy. The small bed however, felt just right and soon she was fast asleep.

Çohu, Flokartë, hapi sytë,
Ndoshta të pret një e papritur E MADHE!

Wake up Goldilocks, open your eyes,
You could be in for a BIG surprise!

Dhe atëherë, tre arinjtë u
kthyen në shtëpi.
Pasi u pengua në një shportë,
Babi Ariu vuri re tavolinën.

Just then the three bears came home.
After tripping over a basket,
Father Bear noticed the table.

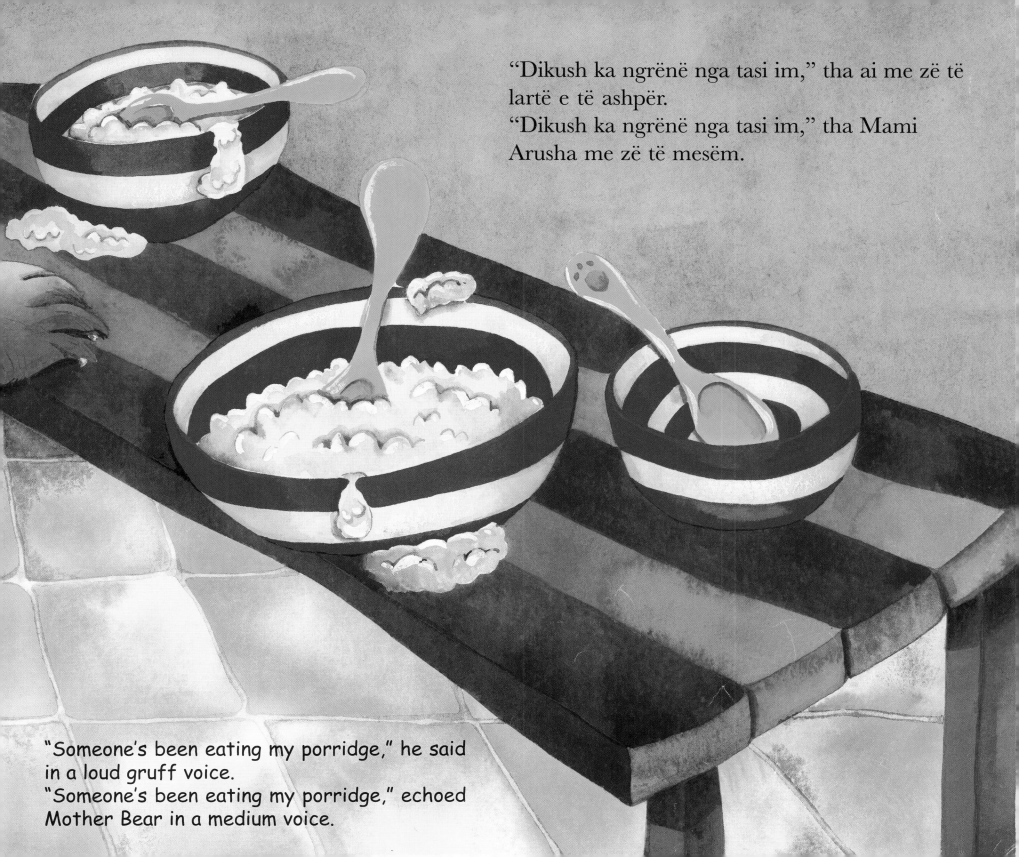

"Dikush ka ngrënë nga tasi im," tha ai me zë të lartë e të ashpër.
"Dikush ka ngrënë nga tasi im," tha Mami Arusha me zë të mesëm.

"Someone's been eating my porridge," he said in a loud gruff voice.
"Someone's been eating my porridge," echoed Mother Bear in a medium voice.

"Dikush ka ngrënë nga tasi im," tha Bebi Ariu me zë të ulët, "dhe e ka ngrënë të gjithë!"

"Someone's been eating my porridge," cried Baby Bear in a small voice, "and they've eaten it all up!"

Tre arinj shumë të uritur, dhe pak dyshues,
Por një monstër që mbledh lule nuk
mund të jetë shumë i frikshëm.

Three very hungry bears, feeling slightly wary,
But a flower-collecting monster
doesn't sound too scary.

Duke u kapur për dore, ata hynë me kujdes në dhomën e ndenjes.
"Dikush është ulur në karrigen time," tha Babi Ariu me zë të lartë e të ashpër.
"Dikush është ulur në karrigen time," tha Mami Arusha me zë të mesëm.

Holding hands, they crept into the living room.
"Someone's been sitting in my chair,"
said Father Bear in a loud gruff voice.
"Someone's been sitting in my chair,"
echoed Mother Bear in a medium voice.

"Dikush është ulur në karrigen time," tha Bebi Ariu me zë të ulët,
"dhe shiko, e ka thyer!"
Dhe ai filloi të qante.

"Someone's been sitting in my chair," cried Baby Bear in a small voice,
"and look, they've broken it!"
He burst into tears.

Ata filluan të shqetësohen tani. Në majë të gishtave ata u ngjitën lart në dhomën e gjumit.

Now they were very worried. Quietly they tiptoed up the stairs into the bedroom.

Tre arinj të shqetësuar, pa ditur se ç'do të gjenin,
Një karrige-thyes, një monstër nga më të këqinjtë.

Three grizzly bears, unsure of what they'll find,
Some chair-breaking monster of the meanest kind.

"Dikush ka fjetur në krevatin tim," tha Babi Ariu me zë të lartë dhe të ashpër.

"Someone's been sleeping in my bed," said Father Bear in a loud gruff voice.

"Dikush ka fjetur në krevatin tim," tha Mami Arusha me zë të mesëm.

"Someone's been sleeping in my bed," echoed Mother Bear in a medium voice.

"Dikush ka fjetur në krevatin tim," thirri Bebi Ariu me zë të lartë, "dhe shiko!"

"Someone's been sleeping in my bed," wailed Baby Bear in a far from small voice, "and look!"

Flokarta u zgjua nga zhurma dhe thërriti.

The noise woke Goldilocks up and she screamed.

Ndërsa arinjtë po mblidhnin
veten nga tronditja…

While the bears were
recovering from their shock...

Flokarta u hodh nga krevati, vrapoi nëpër shkallë,
rrëmbeu shportën e saj bosh dhe iku.

Goldilocks leapt out of bed, ran down the stairs,
grabbed her empty basket and fled.

E pra Flokartë, mirë t'u bë,
Ata arinjtë të trembën shumë.
Por ja një e fshehtë që të tjerët
duhet ta dinë,
Tre arinjtë e mjerë u trembën po aq shumë!

Well Goldilocks, it serves you right,
Those bears gave you a terrible fright.
But here's a secret that must be shared,
The three poor bears were just as scared!